A Breve H

Primeira Guerra

Mundial

A Grande Guerra, as Batalhas da Frente Ocidental e
Oriental, a Guerra Química, e como a Alemanha se
perdeu, levando ao Tratado de Versalhes

(1914-1919)

Isenção de responsabilidade

Uma rápida visão geral

A Primeira Guerra Mundial, também chamada de **Guerra Mundial** ou **Grande Guerra**, foi uma guerra mundial que começou na Europa em 28 de julho de 1914 e durou até 11 de novembro de 1918. O 11 de novembro ficou conhecido como o Dia do Armistício.

Todas as superpotências mundiais estiveram envolvidas nesta guerra e foram compostas em duas alianças conflitantes: os Aliados (centrados em torno da Tríplice Entrada do Reino Unido, França e Rússia) e os Centros (originalmente centrados em torno da Tríplice Aliança da Alemanha, Áustria-Hungria e Itália). Essas alianças se reorganizaram (a Itália desertou para os Aliados em 1915) e se expandiram à medida que mais países se juntaram à guerra (a Romênia se juntou aos Aliados e o Império Otomano e a Bulgária se juntou aos Centros).

No final, mais de 70 milhões de soldados, incluindo 60 milhões de europeus de uma população de 460 milhões, foram mobilizados em uma das maiores guerras da história.

Mais de 9 milhões de soldados (13%) foram mortos, principalmente devido aos grandes avanços tecnológicos em poder de fogo (foi a primeira guerra em que prevaleceram meios e tecnologia fabricados em fábrica e rapidamente produzidos, tais como metralhadoras, gás venenoso, canhões e arame farpado, e na qual tanques e aviões passaram a ser de uso geral) sem que houvesse desenvolvimentos correspondentes em mobilidade (as táticas utilizadas ainda datam do século XIX, o que os polêmicos dizem ser uma das razões para o grande número de mortos (mais de 16 milhões) e feridos (mais de 21 milhões de soldados feridos (30%)).

3

Outro fator importante que também contribuiu para o sacrifício massivo de vidas humanas foi a capacidade de, durante vários anos consecutivos, chamar sucessivamente ondas de milhares de jovens como recrutas, levá-los para as frentes e implantá-los lá.

Este destacamento tornou-se notório principalmente porque táticas ultrapassadas significavam que apenas sucessos fúteis podiam ser relatados, apesar do sacrifício de um número muito grande de soldados.

Isto se manifestou na captura de pequenos fragmentos de terras de ninguém, em sua maioria quebradas, que depois tiveram que ser defendidas ou recapturadas repetidas vezes com contra-ataques igualmente maciços, conhecidos como a guerra de posições.

Foi o sexto conflito mais mortífero da história mundial, que posteriormente abriu o caminho para reformas políticas e/ou revoluções nos países em questão. Na França (41 milhões de habitantes em 1914) estima-se que 4,3% da população morreu, no Reino Unido 2,1% (de 43 milhões de habitantes), na Alemanha (67 milhões de habitantes) 3,8%, na monarquia austro-húngara 3,7% (de 51 milhões

4

de habitantes), no Império Otomano (com uma população de 18,5 milhões) 14,5%, no Império Russo 1,7% (de 166 milhões de habitantes).

Em 28 de julho, o conflito começou com a invasão austro-húngara da Sérvia, seguida pelo ataque alemão à França através da Bélgica e Luxemburgo e um ataque russo à Alemanha. Depois que o avanço alemão sobre Paris parou, a frente ocidental se instalou numa guerra estática de atrito de guerra de trincheiras que pouco mudou até 1917.

No leste, o exército russo lutou com sucesso contra as forças austro-húngaras, mas foi empurrado de volta pelo exército alemão. Frentes adicionais foram abertas depois que o Império Otomano aderiu à guerra em 1914, Itália e Bulgária em 1915 e Romênia em 1916.

O Império Russo caiu na Revolução Russa de 1917, e a Rússia saiu da guerra após a Revolução de outubro daquele ano. Após uma ofensiva alemã ao longo da frente ocidental em 1918, as tropas americanas entraram nas trincheiras e os Aliados forçaram os exércitos alemães a voltar em uma série de ofensivas bem sucedidas.

A Alemanha, que tinha seus próprios problemas com os revolucionários da época (a Revolução de novembro), concordou com um cessar-fogo em 11 de novembro de 1918, que mais tarde seria conhecido como o Dia do Armistício. A guerra terminou como uma vitória para os Aliados.

Ao final da guerra, quatro das potências imperialistas - os impérios alemão, russo, austro-húngaro e otomano - haviam sido derrotados militar e politicamente: os Estados sucessores dos dois primeiros perderam muito território, enquanto os dois últimos deixaram de existir completamente.

A revolucionária União Soviética emergiu do Império Russo, enquanto na Europa Central uma variedade de novos pequenos Estados foi formada. A Liga das Nações foi fundada com a esperança de evitar tal conflito no futuro.

Mas desta guerra nasceu o nacionalismo europeu e a desintegração de antigos impérios. As conseqüências da derrota da Alemanha e do Tratado de Versalhes acabariam contribuindo para a eclosão da Segunda Guerra Mundial em 1939.

A Primeira Guerra Mundial foi travada principalmente na Europa. A designação "Guerra Mundial" refere-se, por um lado, às muitas tropas inglesas e francesas trazidas das colônias para a Europa e, por outro, às batalhas que realmente aconteceram em colônias como a África, o Pacífico e o Oriente Médio.

No entanto, a escala desta batalha extra-européia foi anã pela massividade e intensidade da luta na própria Europa.

Após três anos de guerra (em 1917), os Centros estavam quase exaustos. No entanto, os franceses aliados, russos, britânicos e italianos também o foram. Naquele ano, os Estados Unidos se juntaram à batalha e isso acabou dando aos aliados a vantagem.

Depois que o príncipe herdeiro da Áustria-Hungria Franz Ferdinand e sua esposa Condessa Sophie Chotek foram mortos a tiros pelo nacionalista sérvio bósnio Gavrilo Princip em Sarajevo em 28 de junho de 1914, o imperador Franz José da Áustria-Hungria, apoiado por seu aliado o Império Alemão, propôs o ultimato de julho à Sérvia.

7

Quando a Sérvia, apoiada por uma aliança com a Rússia czarista, não aceitou este ultimato em todos os pontos, a Áustria-Hungria mobilizou seus exércitos e declarou guerra à Sérvia em 28 de julho. Isto causou uma reação em cadeia: vários tratados militares existentes entraram em vigor, outros estados que eram aliados da Áustria-Hungria ou da Sérvia também se mobilizaram e declararam guerra aos estados opostos, envolvendo eventualmente a maioria dos estados europeus no conflito.

A guerra foi entre as Potências Centrais, lideradas pela Alemanha, e a Tríplice Entente, composta pela França, o Reino Unido e o Império Russo. A Itália, que tinha um tratado com a Alemanha, declarou sua neutralidade por discordar dos planos alemães em relação aos Bálcãs. A Bélgica neutra foi invadida após um ultimato alemão.

A guerra tornou-se uma guerra global por causa da participação britânica. O Império Otomano uniu-se aos Centros, tornando o Oriente Médio também um campo de batalha.

Como uma guerra estática com trincheiras estava sendo travada no oeste, a Alemanha tentou forçar uma decisão no mar.

Assim, a campanha do submarino tornou-se importante porque o Reino Unido dependia da importação de bens e alimentos. Em 1915, a guerra submarina ilimitada foi introduzida pela primeira vez. Isto foi temporariamente interrompido após o afundamento do Lusitânia.

De 1914 a 1917, as fronteiras da Frente Ocidental mal se deslocaram. A batalha foi caracterizada principalmente por ofensivas sangrentas que ganharam pouco terreno.

Exemplos incluem a batalha de Verdun e a batalha do Somme, na qual mais de um milhão de pessoas foram mortas. Isto se deveu em parte ao fato de que poucas táticas inovadoras foram utilizadas.

Em 1917, tumultos e distúrbios irromperam no Império Russo e uma revolução se seguiu. No final daquele ano, na Revolução de outubro, o regime Romanov foi derrubado, após o que os bolcheviques fundaram a União Soviética.

A luta contra os comunistas continuou e Lênin assinou um tratado de paz, chamado Paz de Brest-Litovsk, com os alemães no início de 1918. Nesse mesmo ano, os Estados Unidos entraram na guerra após a reintrodução da guerra submarina ilimitada e do telegrama Zimmermann, enviando pelo menos 25.000 novos soldados para a França e Bélgica a cada mês. No mar, o Império Alemão foi lenta mas seguramente empurrado para trás com novas táticas de comboios.

Tabela de Conteúdos

Causas e gatilho

A causa direta foi o já mencionado assassinato de Franz Ferdinand e sua esposa Sophie Chotek. No entanto, as verdadeiras causas são mais profundas. Alguns historiadores vêem a crescente popularidade do militarismo e do nacionalismo radical na Europa como a causa.

Estes movimentos culparam seus governos pela passividade diante das ameaças externas, encorajando assim a corrida armamentista em 1912 e 1913. Outras análises culpam o imperialismo, os problemas econômicos e a inquietante expansão territorial das superpotências.

Excepcionais são as análises que em grande parte vêem a guerra em parte como uma iniciativa da classe dominante para frear uma revolução socialista do proletariado.

A longa causa da guerra foi a política externa imperialista da maioria das nações européias, incluindo o Império Britânico, a França, o Império Alemão, o Império Austro-Húngaro, o Império Otomano, o Império Russo, a Itália e a Sérvia.

A tensão e a rivalidade entre eles vinha subindo lentamente até o ponto de ebulição há décadas e, finalmente, esperava-se um confronto direto entre as superpotências. O assassinato de Franz Ferdinand e sua esposa resultou em um ultimato dos Habsburgos à Sérvia, o chamado "ultimato de julho".

Várias alianças que haviam sido formadas durante as décadas anteriores foram invocadas, de modo que dentro de algumas semanas as superpotências estavam em guerra. Através de suas colônias, o conflito logo se espalhou pelo mundo.

No início do século 20, desenvolveu-se na Europa um equilíbrio instável de poder. Fortes movimentos nacionalistas surgiram em vários países. A França havia perdido a Alsácia-Lorena para a Alemanha após a Guerra Franco-Prussiana de 1870 e queria recuperar este território.

Enfrentou uma Alemanha unida e, portanto, militarmente forte e fez uma aliança com a Rússia. No início do século 20, surgiu um novo tipo de navio de guerra: o Dreadnought. O Reino Unido e outros países precisavam reconstruir suas frotas. A Alemanha tirou proveito disso aumentando seu investimento na marinha e quis ganhar mais poder militar no mar também por esta rota. Isto preocupou muito os britânicos: eles viram sua hegemonia no mar ameaçada por isto.

Desta forma, a Alemanha e o Reino Unido se envolveram na corrida da frota germano-britânica.

Sob a Realpolitik de Otto von Bismarck, a Alemanha tinha sido cautelosa na diplomacia internacional. A Alemanha jogou países diplomaticamente uns contra os outros, como no Congresso de Berlim. Somente quando um país estava sozinho diplomaticamente e não tinha aliados fortes para intervir, a guerra era travada. Posteriormente, foram feitos esforços para tornar a paz o mais leve possível para o país derrotado, para que não houvesse ressentimentos persistentes.

Isto foi abandonado após a Guerra Franco-Alemã e especialmente a demissão de Bismarck. Sob Kaiser Wilhelm II, uma política política mais agressiva foi adotada: a Weltpolitik. Com isso, porém, a Alemanha alienou muitos estados, que temiam ver seu próprio poder comprometido.

Alemanha e Áustria-Hungria eram aliados, e a França havia formado uma aliança com a Rússia. Após a Segunda Guerra da Boer, a Inglaterra estava procurando aliados, mas uma aproximação inglesa com a Alemanha foi rejeitada pelos alemães. A Inglaterra buscava agora uma aproximação com a França e a Rússia.

Sobre isto, esta aliança foi chamada de Triple Entente. Por causa disso, a nação alemã se viu como vítima de uma conspiração dirigida contra ela. Os alemães também estavam preocupados com a rápida recuperação da Rússia após a derrota contra o Japão em 1905 e a subseqüente agitação revolucionária.

Ao mesmo tempo, poderosas ambições nacionalistas floresceram nos Estados balcânicos, buscando apoio diplomático em Berlim e Viena, por um lado, e São Petersburgo, por outro. Os panamenhos queriam o apoio russo para os povos eslavos sob o domínio austríaco.

Em áreas como a Eslovênia, Silésia e Boêmia, surgiu uma forte consciência eslavo-nacionalista, que por sua vez

16

despertou o medo e a inimizade entre os alemães. Os primeiros movimentos pan-germânicos e anti-semitas surgiram (assim, as sementes do nacional-socialismo já foram semeadas no século XIX).

Os nacionalistas estão cada vez mais determinados com a política governamental. As reivindicações cresciam, e povos que haviam vivido durante anos sob uma administração diferente e se adaptaram a ela, como os tchecos e os poloneses, agora queriam um estado próprio. Eles procuraram cada vez mais o apoio de grupos extremos, como a Mão Negra na Sérvia.

Ao contrário da França e do Reino Unido, a Alemanha possuía poucas colônias, o que significava que ela era menos percebida como uma grande potência. De acordo com as opiniões predominantes na Alemanha na época, a grande vantagem das colônias residia no controle dos fluxos comerciais e no acesso privilegiado às matérias-primas e aos mercados. Os próprios alemães viam isso como uma "desvantagem". A Alemanha foi o retardatário, a quem não foi concedido nenhum "lugar sob o sol".

A Alemanha tinha o exército terrestre mais forte do mundo; geralmente os alemães tinham a crença de que uma possível guerra tinha que terminar em uma vitória alemã. A maioria dos grupos nacionalistas esperava, portanto, um conflito, e mesmo aqueles que não o queriam não costumavam sentir a necessidade de evitar a guerra per se.

Esta imagem também foi vista em outros países. Os franceses, por exemplo, não teriam começado eles mesmos uma guerra para reconquistar a Alsácia-Lorena, mas avidamente aproveitaram a desculpa oferecida pela Alemanha e entusiasmados foram para a guerra.

A guerra foi amplamente romantizada e vista, especialmente por grupos de direita e nacionalistas em toda a Europa, como "o grande purificador". A guerra tornou um homem "melhor, mais forte, mais inteligente e mais maduro", "transformou meninos em homens". As questões referidas como "males sociais" (por exemplo, desemprego, socialismo, feminismo e homossexualidade) "dissolver-se-iam por si mesmas" através da guerra, assegurando mais uma vez o interesse próprio de todas as elites nacionais. E após a guerra (obviamente vencida) seria uma era dourada quando a hegemonia fosse assegurada, a economia se recuperaria e cresceria, quaisquer ganhos territoriais e coloniais proporcionariam novas oportunidades de carreira, e soldados vitoriosos voltariam para casa em grandes desfiles triunfantes.

As várias alianças eram fracas. Tanto a Alemanha quanto a Rússia, as partes mais fortes, se deixaram conduzir por seus respectivos aliados mais fracos Áustria-Hungria e Sérvia por medo de perdê-los.

Antes da Primeira Guerra Mundial, as várias grandes potências elaboraram planos para "dar o primeiro golpe". Na França, por exemplo, o Plano XVII, altamente ofensivo, foi concebido. Na Alemanha, foi elaborado o Plano Schlieffen.

Na Rússia, o plano do exército foi elaborado para ocupar imediatamente a Prússia Oriental e avançar sobre Berlim. Para lidar com este primeiro golpe, foi necessária a mobilização dos exércitos. As mobilizações levavam tempo e não podiam ser realizadas em segredo. Na prática, isto significava que uma mobilização tinha que ser seguida imediatamente por uma declaração de guerra;

19

esperar todos os dias significava uma oportunidade para que o outro lado também se mobilizasse. Tanto os soldados quanto os políticos estavam cientes disso.

A Áustria-Hungria havia sido seriamente enfraquecida. A dupla monarquia havia sido humilhada pela Itália e pela Prússia, e também havia sido quase dividida em duas pelo Ausgleich de 1867; agora buscava compensação através dos Bálcãs. Com a anexação da Bósnia-Herzegóvina em 1908, ela havia se recuperado um pouco.

Uma vitória fácil sobre a Sérvia permitiria à Áustria-Hungria provar que ela ainda era uma grande potência. A Bulgária também se sentiu seriamente humilhada e trocada pouco depois das Guerras dos Balcãs. Qualquer chance de lidar com a Sérvia, Romênia e Grécia era muito bem-vinda.

O Império Otomano havia lentamente perdido mais e mais terreno para o Reino Unido e a França na África e para a Rússia no Cáucaso nas décadas que antecederam a guerra.

Além disso, quase toda a província otomana da Romênia (os Bálcãs) havia conquistado a independência do Império
20

através do apoio russo nas Guerras dos Bálcãs. Essas guerras perdidas trouxeram um enorme fluxo de refugiados; os milhões de turcos dos Bálcãs, da Crimeia e do Cáucaso se estabeleceram na Anatólia Central. Em contraste, a Alemanha nunca havia ocupado o território otomano e, devido ao investimento alemão no império, apoiou o governo otomano. O Império Otomano acabou mergulhando na Primeira Guerra Mundial do lado alemão, principalmente para recuperar territórios perdidos no Cáucaso e na Crimeia provenientes da Rússia e para evitar novas perdas de território no Ocidente.

O aumento das tensões étnicas no império multicultural, entretanto, convenceu o sultão e seu governo de que o Império Otomano precisava se tornar mais enfaticamente turco e que as conexões também deveriam ser buscadas com os outros povos turcos no Cáucaso e na Ásia Central. Estes poderiam juntar-se à luta contra os russos, que também eram seus inimigos.

Entre alguns países, como a Itália e a Romênia, havia uma vontade de ir com o lado que apresentava a maior oferta. Isto ajudou a prolongar a guerra.

21

Os diversos exércitos foram grandemente modernizados em termos de artilharia e outros armamentos entre 1900 e 1914. A organização também tinha sido muito melhorada de acordo com as linhas prussianas/alemãs do pessoal geral.

Isto não era verdade em relação aos planos e táticas. Estas foram baseadas em suposições e julgamentos errados.

O início da guerra

Em 28 de junho de 1914, o Arquiduque austríaco e herdeiro ao trono Franz Ferdinand e sua esposa visitaram Sarajevo, a capital da província austro-húngara da Bósnia-Herzegóvina.

O estudante sérvio bósnio Gavrilo Princip atirou em Ferdinand francês com uma pistola, depois que outro membro do bando sérvio de "A Mão Negra" já havia feito uma tentativa fracassada de matar o príncipe herdeiro e sua esposa com uma granada no início daquele dia. Nessa tentativa, apenas o oficial de Ferdinand havia sido atingido.

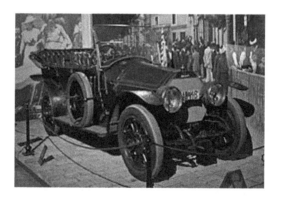

Quando Frans Ferdinand quis visitar seu oficial no hospital, ele e sua esposa foram mortos a tiros no caminho.

A opinião pública na Europa está do lado de Viena e não do lado da Sérvia. Até os russos retiraram suas mãos dos sérvios, seus aliados tradicionais. No início, o ataque parecia terminar com um assobio: A Áustria parecia não reagir.

Snowball

Após o ataque de 28 de junho, as coisas permaneceram aparentemente calmas por várias semanas. Nos bastidores, Viena consultou com sucesso Berlim. Berlim quase deu a Viena um cheque em branco em 6 de julho, na medida em que a aliança entre os dois era de caráter defensivo. Este cheque em branco consistia no compromisso alemão, que uma intervenção russa significaria uma resposta alemã.

Somente em 23 de julho, Viena apresentou à Sérvia, através de seu ministro das Relações Exteriores, o Conde Leopold Berchtold, um ultimato de 48 horas, o *ultimato de julho.* Este ultimato exigiu chegar ao fundo da questão.

24

Para isso, a Sérvia teve que aceitar uma profunda violação de soberania, inclusive ao admitir policiais austríacos.

A Sérvia também teve que assumir a responsabilidade pelo ataque. A Sérvia concordou com todas as exigências, exceto uma, a de permitir a presença de agentes austríacos em seu território. A Sérvia considerou isto uma violação de sua soberania e declarou uma mobilização parcial de seu exército.

A Áustria declarou a resposta insatisfatória e quebrou as relações diplomáticas com a Sérvia em 25 de julho. A Áustria também declarou uma mobilização parcial. Em 25 de julho, na reunião da coroa de Krasnoje Selo, a Rússia decidiu apoiar a Sérvia militarmente.

Ao mesmo tempo, uma conferência de mediação foi proposta pela Rússia, Alemanha e Reino Unido. No entanto, esta proposta permaneceu sem resposta. Uma primeira fase da mobilização do exército russo se seguiu em 27 de julho. O comandante do exército russo, Sergei Dobrorolski, disse mais tarde que o pessoal russo considerava a guerra uma conclusão inevitável já em 25

25

de julho. Eles sabiam que a Alemanha seguiria este movimento.

Em 26 de julho, a Alemanha decidiu não concordar com a idéia da Rússia de apoiá-los militarmente afinal de contas. A Áustria pretendia uma guerra local, em parte porque a capital sérvia Belgrado ficava do outro lado da fronteira entre a então Áustria-Hungria. Em 28 de julho, a Áustria declarou guerra a seu pequeno vizinho. Já no dia seguinte, 29 de julho, Belgrado foi bombardeada pela artilharia austríaca.

A Áustria-Hungria decidiu, em 30 de julho, proceder a uma mobilização geral. Nesse dia, o czar Nicolau II da Rússia também aprovou a mobilização do exército russo.

O pessoal geral russo, percebendo que isso implicava uma declaração indireta de guerra, tentou dissuadi-lo de fazer isso. Mesmo uma carta incantatória do Kaiser alemão para seu primo, o czar, permaneceu ineficaz. A Alemanha respondeu emitindo um ultimato de 12 horas; a mobilização russa teve que ser retirada.

Quando não houve resposta, a Alemanha declarou guerra à Rússia em 1 de agosto. A França também decidiu se mobilizar em resposta, para honrar sua aliança com a Rússia.

O plano de guerra alemão foi uma versão atualizada do chamado Plano Schlieffen. Isto foi baseado na suposição de que a mobilização russa levaria muito tempo. A Alemanha usaria este tempo, primeiro lidando com a França arqui-inimigo e depois lidando com a Rússia. No entanto, na noite da declaração de guerra, as primeiras unidades russas já estavam entrando na Prússia Oriental.

O Plano Schlieffen previa um movimento circunferencial através da Bélgica. Em 1º de agosto, a Alemanha ocupou Luxemburgo. Em 2 de agosto, a Alemanha deu à Bélgica um ultimato exigindo uma passagem livre. A Bélgica se recusou a passar para as tropas alemãs, e a Alemanha declarou guerra à Bélgica neutra.

Em 3 de agosto, a Alemanha declarou guerra à França, e em 4 de agosto a Alemanha entrou na Bélgica. Isto levou o Reino Unido a declarar guerra à Alemanha no mesmo dia, pois o Reino Unido havia garantido a neutralidade da Bélgica no Tratado de Londres. Assim, com esta última declaração de guerra britânica, todas as superpotências européias haviam entrado em guerra umas com as outras dentro de uma semana.

Frentes da Primeira Guerra Mundial

Frentes européias

- Frente Ocidental - A invasão do Império Alemão na Bélgica, Luxemburgo e França. Aqui, foram usadas trincheiras depois que os alemães pararam antes de Paris. Depois que o avanço dos alemães parou, ambos os lados tentaram alcançar o mar o mais rápido possível em uma posição favorável a eles. Isto também foi chamado de Corrida ao Mar.

- Frente Leste - Os russos invadiram a Prússia Oriental aqui e causaram uma surpresa. No entanto, os alemães e austríacos levaram os russos de volta para seus próprios países.

- Frente balcânica - Os austríacos invadiram a Sérvia com o apoio dos alemães. Mais tarde, outros países como Romênia, Montenegro, Bulgária e Grécia também estiveram envolvidos na guerra.

- Frente italiana - Os italianos se juntaram aos Aliados em 1915, após receberem muitas promessas se a guerra fosse vencida. Os italianos pensavam que poderiam vencer os austríacos, mas mesmo aqui a batalha continuava indo e voltando. Somente no final os Aliados foram capazes de forçar um avanço.

Frentes africanas

O controle aliado dos mares impediu que os alemães abastecessem suas colônias. Uma estratégia defensiva procurou preservar as colônias até a vitória final na Europa, e atrair as tropas aliadas para longe da frente européia.

- Alemanha-sudoeste da África - Uma colônia alemã, hoje Namíbia. Esta colônia foi conquistada da África do Sul por tropas da Commonwealth em menos de um quarto em 1915, depois de uma hesitação inicial por parte da África do Sul.
- África Ocidental - Alemanha possui colônias aqui: atualmente Camarões e Togo. Também aqui, os alemães foram rapidamente derrotados, após o que as colônias foram divididas.
- Alemanha-África Oriental - Atualmente Tanzânia, Ruanda e Burundi. Em 22 de agosto de 1914, os alemães realizaram ataques com navios ao porto

belga de Kalemie, no lago Tanganyika, no Congo. Os alemães continuaram a controlar o lago até 1916. Apenas um pequeno exército colonial de aplicação da lei estava estacionado no Congo belga, que estava mal equipado. Em 1915, oficiais do exército belga foram treinados em Le Havre para combater nos trópicos. Os soldados foram recrutados no Congo e os carregadores foram recrutados pelo exército para se abastecerem. Quase não existiam estradas.

Usando hidroaviões e navios trazidos em partes, forças britânicas e belgas conseguiram obter o controle estratégico do lago estratégico. Em abril de 1916, o ataque foi lançado, do Congo belga pelo exército colonial belga, e das colônias britânicas pelo exército britânico. Em 19 de setembro de 1916, a principal base de operações alemã, Tabora, foi capturada.

No final de 1917, a Alemanha havia perdido todos os territórios, mas as tropas alemãs continuaram a guerrilhar na colônia e luso-moçambique contra os portugueses e britânicos.

Aqui foi o último lugar na África onde as tropas coloniais alemãs ainda estavam lutando. Só no dia 13 de novembro de 1918 é que chegou a notícia de que o armistício havia sido assinado. Ainda faltava algum tempo para que as armas fossem depostas

Frentes no Oriente Médio

- Campanha do Cáucaso - Os otomanos interferiram na guerra do lado dos Centros. Eles começaram a atacar a Rússia no Cáucaso e várias batalhas foram travadas.

32

- Campanha da Mesopotâmia - A invasão do Iraque pelas tropas do Império Britânico.

- Frente palestina - Os britânicos lutaram pelo Sinai e pela Palestina contra os otomanos, para manter os otomanos fora do Canal de Suez.

- Frente Dardanelles - O Entente queria uma segunda rota para a Rússia, através da Frente Dardanelles. Isto exigiu a ocupação da capital do Império Otomano, Constantinopla. No final, os Aliados falharam neste ataque.

- Frente persa - Oficialmente, a Pérsia era um país independente e neutro, mas devido à influência da Rússia e do Império Britânico, o petróleo também era combatido aqui. Como diferentes tribos foram colocadas umas contra as outras e para minar os britânicos no Oriente Médio e na Índia, vários outros conflitos foram travados aqui. No entanto, no geral, não mudou muito.

Frente asiática

- Tsingtao - Alguns meses após o início da guerra, a cidade foi capturada pelo Japão e pela Grã-Bretanha no Cerco de Tsingtao. O esquadrão naval alemão, liderado pelo almirante Maximilian von Spee, havia partido para a América do Sul antes disso.

- Ilhas do Pacífico

A frente ocidental

O pessoal geral alemão confiava no Plano Schlieffen. Este plano desenvolvido por Alfred von Schlieffen reconheceu o perigo de uma guerra de duas frentes contra a França e a Rússia, para a qual a Alemanha não foi suficientemente forte. O plano envolvia, portanto, cercar o exército francês, fazendo o exército alemão invadir o norte mais fraco da França via Bélgica (inicialmente também a Holanda).

Nessa altura, a capital francesa *não seria* tomada pelo oeste e leste de Paris - a capital francesa *não* seria tomada - e então, voltando para o leste, o exército francês concentrado na Alsácia seria atacado pelas costas e preso e rendido.

As tropas alemãs seriam então colocadas em um trem para a Rússia para derrotar o recém mobilizado exército russo de lá. Um período de apenas 42 dias foi planejado para derrotar os franceses. Assim, o Plano Schlieffen.

No entanto, o plano apresentava fraquezas:

- Ao violar a neutralidade da Bélgica, o Reino Unido poderia declarar guerra à Alemanha sob o Tratado de Londres de 1839. Isso também privaria a Alemanha de muito crédito diplomático. Von Schlieffen não considerou isto relevante; afinal, o plano foi elaborado somente por militares e não por políticos.
- Foi mantido um cronograma muito apertado de 42 dias. Qualquer desvio colocaria o plano em desordem. Von Schlieffen recomendou que após qualquer atraso, as negociações com o inimigo deveriam começar imediatamente: "Afinal de contas, não podemos vencer de qualquer maneira".

- O exército alemão era grande demais para as capacidades da rede rodoviária (ferroviária) belga e do norte da França. Além disso, a operação provavelmente estava além das forças do exército alemão. (Von Schlieffen negou isso)
- Não havia sido considerada a possibilidade de que o exército francês não quisesse se render e deixá-lo a um confronto mais longo.
- Também não tinha contado com a mobilização ou ataque russo anterior (devido à falta de industrialização neste país).
- O plano não foi calculado para lidar com situações políticas. Na crise de julho de 1914, a França não desempenhou um papel significativo. Entretanto, o plano previa a participação francesa e a entrada em vigor das diversas alianças também atraiu a França para a guerra. Entretanto, a França já estava se mobilizando dois dias antes da declaração de guerra e, devido ao nacionalismo prevalecente na França, a declaração de guerra foi aproveitada com enorme entusiasmo como uma oportunidade para lidar com o eterno inimigo Alemanha e reconquistar a Alsácia-Lorena. Quando a Alemanha se mobilizou, os militares

implementaram o plano enquanto os diplomatas e políticos eram passivos.

- O plano assumiu uma guerra de movimento, enquanto a velocidade dos exércitos de infantaria, cavalaria e artilharia era limitada.

Raid na Bélgica

- **1 de agosto de 1914** - Tropas alemãs invadem Luxemburgo neutro.
- **3 de agosto** - A Alemanha declara guerra à França e no mesmo dia pede à Bélgica permissão para passar pela Bélgica para invadir a França. A Bélgica neutra mantém sua promessa e não oferece aos alemães nenhuma passagem.
- **4 de agosto** - As unidades do exército alemão cruzam a fronteira belga. A França e o Reino Unido correm para ajudar a Bélgica.
- **6 de agosto** - O exército alemão encontra os fortes ao redor de Liège.
- **12 de agosto** - Batalha dos Capacetes de Prata, em Halen. 140 soldados belgas e 160 alemães caem. Os belgas vencem e entrincheiram-se no Diest.

- **15 de agosto** - Batalha de Dinant. O rei e a rainha e o governo se estabelecem em Antuérpia. O rei comanda o exército.

- **16 de agosto** - O último forte ao redor de Liège se rende aos alemães.

- **18 de agosto** - Batalha dos Sete Zills, perto de Tienen, no território dos atuais bairros de St.-Margriete-Houtem, Grimde e Oplinter. Cerca de 2.400 soldados belgas enfrentaram um exército de cerca de 15.000 alemães. Metade dos belgas perderam a vida ou foram feridos. O exército belga se retira.

- **18 de agosto** - O rei Alberto I ordena ao exército belga que se retire para Antuérpia após um ataque alemão maciço ao norte do rio Meuse.

- **19 de agosto** - Represálias alemãs em Aarschot.

- **20 de agosto** - Os alemães entram em Bruxelas. Mais tarde, seguiram-se fortes combates em Aalst, Mechelen, Dendermonde e Charleroi. Em Antuérpia, muitos voluntários trabalham dia e noite: árvores são derrubadas, vilas demolidas, enfim: tudo que pode obstruir a vista. Abrigos são erguidos em vários lugares, inundações próximas aos fortes de Kapellen a Kontich são realizadas.

Bandeiras belgas, francesas e inglesas voam na cidade. Entre 21 e 24 de agosto, os fortes de Namur caem.

- **22 de agosto** - Batalha de Charleroi, na qual os franceses também participam. Estradas sobrepostos são quebradas em todo o país para dificultar os movimentos alemães.

- **Em 25 de agosto,** as tropas alemãs realizam uma expedição punitiva contra a cidade de Leuven. 218 civis são mortos e a cidade é incendiada. A biblioteca da universidade também se incendiou. Estes atos pouco ortodoxos causarão um recrutamento voluntário maciço para o Império Britânico.

- **27 de agosto** - Soldados navais britânicos desembarcam em Ostende para reforçar o exército belga em Antuérpia. A Holanda neutra recusou-se a deixá-los entrar através do Escalda, impedindo-os de desembarcarem na própria Antuérpia. Nova ofensiva alemã contra Mechelen com 20.000 soldados. Mais tarde, este número será duplicado. Mechelen é bombardeado pela primeira vez.

- **30 de agosto** - Após três dias de bombardeio, os fortes de Walem, Sint-Katelijne-Waver e

Koningshooikt estão escritos. Não mais capazes de desempenhar seu papel de fortaleza para reter o inimigo, eles agora se tornam pontos de apoio.

- **2 de setembro** - Um zepelim voa sobre Antuérpia e lança sete bombas em casas montadas como hospitais. 12 pessoas estão feridas e há grandes danos.

- **5 de setembro** - O Major Von Sommerfeld ordena que a cidade de Dendermonde seja queimada. Também o hospital civil e a Igreja de Deguinage do século 16. As casas são saqueadas e os residentes são deportados para a Alemanha. Em Sint-Gillis e Lebbeke, 25 habitantes são assassinados pelo exército alemão de passagem.

- **9 a 26 de setembro** - A sede das forças armadas belgas é estabelecida em Lier. O rei Alberto fica lá por vários dias durante a Batalha dos Nete.

- **29 de setembro** - Lier é bombardeado, assim como Duffel, Tisselt, Londerzeel e Heist-op-den-Berg. Novas batalhas para Mechelen, devido à grande força, os belgas têm que abandonar Mechelen e recuar para Antuérpia. Em seu retiro, os defensores destroem as fortalezas de Walem e

Breendonk. Isto foi para evitar que os alemães os utilizassem contra os belgas.

- **2 de outubro** - Os alemães tentam romper a barreira. Da varanda do Palácio do Meir, em Antuérpia, o Rei Alberto I tranquiliza a população, pois os tiros podem ser ouvidos.

- **3 de outubro** - Walem, Sint-Katelijne-Waver e Koningshooikt são descascados por pistolas de 28 cm posicionadas em Elewijt e Hofstade. Um avião espalha notas sobre Antuérpia, chamando a população a se render. A população ri disso, enquanto o avião alemão é bombardeado. Mais lutas em Lier. Os herentals caem vítimas do terror alemão. As aldeias Kempen são incendiadas.

- **4 de outubro** - A frente não está se movendo. Os belgas são forçados a se entrincheirar atrás dos rios Rupel e Nete. As pontes são explodidas. Luta intensa na Duffel.

- **6 de outubro** - As brigadas de infantaria naval britânicas e o exército belga defenderam com sucesso os Nete. No entanto, no dia 6 de outubro pela manhã, eles têm que se retirar para a linha do forte interior. Como resultado, os alemães puderam colocar suas armas dentro do alcance de tiro da cidade. Mais de 4.000 cartuchos e 140 bombas de zepelim caem em Antuérpia. A General Deguise anuncia à população que quem quiser pode sair. Começa um êxodo ao longo do Escalda. Mais de 1 milhão de belgas fogem para a Holanda neutra do norte. Os refugiados são bem recebidos lá. Outros migram para a França via costa ou tentam chegar à Grã-Bretanha via Ostende.

- **8 de outubro** - Para evitar a destruição total da cidade de Antuérpia, as autoridades belgas o britânicas decidem em conjunto evacuar a cidade. Durante a noite de 8 de outubro, o rei e a rainha deixam Antuérpia.

- **9 de outubro** - A batalha de Antuérpia está encerrada. Os fortes de Schoten, Brasschaat, Merksem, Kapellen e Lillo estão explodidos. Sob a cobertura da noite, a última divisão belga também desiste da margem esquerda do Escalda, depois se retira para o Yser. O conselho municipal de Antuérpia solicita e recebe um cessar-fogo do comando supremo alemão. A "Convenção de Kontich" é um fato. Cerca de 33.000 soldados belgas que não podem mais escapar migram para a Holanda e são lá internados.

- **10 de outubro** - Os belgas e os britânicos, tendo agora deixado Antuérpia, deram um duro golpe aos alemães enquanto estes últimos tentavam atravessar o Escalda. As unidades alemãs avançam em direção a Gand. No norte, os belgas empurram os alemães de volta para o Lokeren. Perto de Gante, em Melle, os belgas são capazes de vencer o inimigo e capturar uma bateria de artilharia alemã. A retirada do exército belga prossegue sem maiores problemas. Todos os trens blindados e armas pesadas são salvos.

- **12 de outubro** - Os alemães ocupam Gand, que se renderam sem lutar. O retiro belga continua em direção ao Westhoek e se instala atrás do Yser.

- **13 de outubro** - As divisões britânicas chegam a Ypres. O exército alemão avança ainda mais através da Flandres Oriental.

- **15 de outubro** - Os alemães avançam ainda mais através da Flandres Ocidental e ocupam Bruges.

- **16 de outubro** - O exército alemão chega a Damme, Zeebrugge, Knokke e Ostend. O 4º Exército alemão se posiciona na costa até a estrada Ypres-Vienna. A partir da estrada Menin-Ypres, o 6º Exército alemão forma a força ocupante. Devido à inundação da área ao longo do Yser, a frente fica presa na Flandres e depois na França. Depois começa a guerra de trincheiras de quatro anos, desde as dunas belgas de Nieuwpoort e De Panne até a fronteira franco-suíça em Pfetterhouse, na França.

Além do Westhoek belga, os enclaves belgas de Baarle-Hertog também permanecem desocupados.

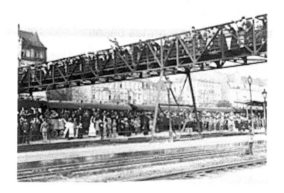

Estes enclaves eram muito isolados pela postura de neutralidade holandesa e tinham um pequeno papel na guerra, mantendo aberto um correio belga através do qual uma correspondência importante podia passar.

A frente oriental

Apesar do tempo de mobilização de 42 dias que o Plano Schlieffen atribuiu aos russos, dois exércitos russos invadiram a Prússia Oriental já em agosto de 1914. Unidades da cavalaria russa cometeram inúmeros crimes contra civis da Prússia Oriental (o *Kosakengreuel*). Ao mesmo tempo, os russos entraram na província austríaca da Galiza.

O avanço na Galiza foi particularmente bem sucedido no início. Após o pânico inicial, os exércitos foram derrotados pelos novos comandantes Paul von Hindenburg e Erich

Ludendorff em Tannenberg e nos lagos Masurian em agosto e setembro de 1914. Nessas batalhas, todo o Segundo Exército russo deixou de existir.

As trincheiras também ocorreram na frente oriental, mas estas estavam mais afastadas e tinham o caráter de uma linha de defesa temporária.

Simplesmente não havia tropas suficientes para ocupar a frente de 1.200 km desta forma. Os alemães usaram pela primeira vez gás venenoso (gás lacrimogêneo) contra os russos aqui. Após a batalha de Lemberg, os russos tomaram grandes partes da Galiza. Durante o inverno de 1914/1915 e a primavera, tropas russas e austríacas travaram várias batalhas nos Cárpatos. Em resposta, os alemães vieram em auxílio de seus aliados austro-húngaros.

Na primavera de 1915, como a frente ocidental era parede a parede de qualquer forma, o general alemão decidiu transferir tropas para a frente oriental.

Ao mesmo tempo, a base industrial russa provou ser muito estreita para fornecer às tropas um fluxo constante de roupas, alimentos, armas, munições, meios de transporte
47

e outras necessidades. Uma grande ofensiva por parte dos Centros levou a um avanço. Em 5 de agosto, Varsóvia foi tomada.

Em meados de 1915, isto havia expulsado os russos da Polônia. A área que agora é a Lituânia e o sul da Letônia também caiu nas mãos dos alemães. Este evento ficou conhecido na Rússia como o "Grande Retiro" e na Alemanha como a "Grande Marcha".

Os russos organizaram outra ofensiva do Broesilo contra os austríacos na Galiza em 1916. Este ataque inicialmente produziu um sucesso espetacular, mas novamente os alemães vieram em auxílio dos austríacos. A Romênia ficou do lado dos Aliados em 1916, mas foi invadida e ocupada pela Alemanha, Áustria e Bulgária. As ofensivas russas acabaram por parar, com grandes perdas de vidas.

A indústria de guerra russa se expandiu rapidamente, melhorando o equipamento dos exércitos russos, mas a escassez de alimentos nos principais centros populacionais levou à agitação.

Na Rússia, seguiram-se as revoluções de 1917, após as quais os comunistas começaram a negociar com os alemães.

Enquanto isso, os exércitos russos se desintegraram e os alemães ocuparam a Ucrânia e a área que agora é o norte da Letônia e Estônia sem luta. Os comunistas finalmente concluíram a Paz de Brest-Litovsk com os alemães, o que lhes deu acesso a uma cadeia de estados vassalos e libertaram suas mãos no Ocidente. Após o armistício, porém, esses territórios tiveram que ser desocupados e o Tratado de Versalhes anulou a Paz de Brest-Litovsk. Além disso, todo o ouro russo e romeno confiscado teve que ser devolvido.

Retaliação na Bélgica

A Bélgica manteve seu acordo de permanecer neutra e não deixar passar os alemães. Mas o comando do exército alemão não atendeu a esta neutralidade e a Alemanha invadiu a Bélgica afinal de contas.

Em 25 de agosto, as tropas alemãs mataram 218 civis durante uma expedição punitiva contra a cidade de Leuven. A cidade foi parcialmente incendiada. Das aproximadamente 6.000 casas que Leuven tinha, 2.117 estavam em cinzas. A Igreja de São Pedro e a biblioteca da universidade também se incendiaram.

Os alemães assistiram como um quarto de milhão de livros, incluindo milhares de insubstituíveis manuscritos medievais e gravuras de berço, foram incendiados. Além desses crimes, outros casos similares criaram uma onda de indignação nacional e internacional (testemunhos posteriores também mostrariam que nem todos os alemães no campo aprovaram essas atrocidades).

Leuven não foi a única vítima: atrocidades similares também foram cometidas em Dinant (674 mortos) e Aarschot (170 mortos), entre outros.

O comando do exército alemão decidiu tais represálias aterrorizantes depois que suas tropas foram, alegavam eles, bombardeadas por civis. Para justificar uma retaliação hedionda, o argumento dos chamados *franco-retardadores* foi invariavelmente apresentado.

Antes do início da guerra, generais alemães haviam doutrinado fortemente e alimentado seus próprios soldados com contos de *franco-sauros* da guerra franco-alemã de 1870-1871.

Foi incutido neles que durante seu avanço, eles não deveriam confiar nos locais em nenhuma circunstância e deveriam agir duramente se fossem disparados por eles.

Isto havia tornado as tropas alemãs tão paranóicas que qualquer incidente menor que não pudesse ser imediatamente explicado poderia dar origem a tais represálias.

A opinião pública também foi estimulada por histórias de propaganda a fim de dar ao comando do exército um apoio incondicional ao esforço de guerra. Em cada caso, no entanto, nenhum ato organizado de tirano francês tinha sido ordenado de cima e eram provavelmente casos isolados. A maioria das represálias se deveu principalmente a mal-entendidos: em Leuven, por exemplo, os alemães pareciam ter atirado uns nos outros na confusão, e em Aarschot, um coronel alemão (que era muito odiado por seus próprios homens) foi morto a tiros por um de seus próprios soldados.

Um total de 500 municípios foi afetado por atrocidades durante a invasão da Bélgica; pelo menos 5.000 civis foram mortos, incluindo mulheres e crianças (no norte da

França, o número era de cerca de 1.500). É compreensível, portanto, que as atrocidades alemãs associadas ao início da invasão tenham sido uma ferramenta fácil para a propaganda aliada.

De ambos os lados, os crimes cometidos pelo outro lado foram fabricados ou exagerados pela propaganda e pelos próprios crimes negados ou minimizados. Os alemães foram retratados pela propaganda aliada como "Hunos com capacetes de alfinete", bárbaros do Oriente; os belgas, por sua vez, foram retratados pela propaganda alemã como pulhas que atraíram traiçoeiramente as tropas alemãs para emboscadas.

O Império Britânico tinha garantido a neutralidade e a segurança da Bélgica pelo Tratado de Londres. Com uma estreita maioria de gabinete, declarou guerra à Alemanha. As atrocidades alemãs desencadearam o recrutamento voluntário em massa para o Império Britânico.

Recrutamento em massa

Os britânicos poderiam aproveitar o entusiasmo ingênuo em seu recrutamento, tanto em casa como em seu império colonial. Os recrutadores franceses e alemães também poderiam contar com um grande afluxo. O romance de Erich Maria Remarque, *From the Western Front No News,* descreve o entusiasmo pela guerra do lado alemão durante estes primeiros meses.

E o jovem Adolf Hitler também ficou louco de alegria entre uma multidão entusiasmada na Odeonsplatz em 1º de agosto de 1914, quando foi anunciado que a Alemanha estava em guerra.

Uma imagem romantizada da guerra ainda prevalecia entre a população. A pressão social para participar da luta foi forte. Os recrutadores se dirigiram a eles em fábricas, escolas, na igreja e em praças de mercado. Aqueles que não aderissem, mais tarde "não pertenceriam". Aqueles que ainda conseguiram escapar com sucesso do alistamento ou (como no Império Britânico) não foram voluntários enquanto outros o fizeram, foram estigmatizados como covardes. Os refugiados foram olhados com os olhos no pescoço e receberam penas brancas de suas meninas, símbolos de covardia.

Além disso, sentiu-se que, em troca da grande melhoria dos sistemas sociais, era melhor "dar algo em troca". Além disso, o exército britânico também designou homens do mesmo bairro ou fábrica para as mesmas unidades do exército, conhecidas como *batalhões de companheiros* ("trabalhem juntos, lutem juntos"). Isto criou pressão social e controle social.

Voluntários da Austrália e da Nova Zelândia formaram juntos as unidades Anzac. Muitas vezes, eles receberam as tarefas mais desesperadas, mas usavam a auréola de soldados corajosos, mas imprudentes, que valorizavam zelosamente sua imagem.

Jovens trabalhadores de fábricas e mineiros da Grã-Bretanha estavam interessados em uma viagem a Paris. No Canadá, o primeiro contingente programado de 20.000 homens foi imediatamente preenchido até a capacidade. Outros 430.000 se seguiriam. Um total de 60.000 canadenses morreriam.

Durante as primeiras semanas da guerra, milhares de americanos dos então neutros Estados Unidos se reportaram ao Canadá; 5.000 deles eram do Texas.

Apesar do conflito entre britânicos e irlandeses com várias revoltas populares, além dos irlandeses protestantes que favoreceram os britânicos, havia dezenas de milhares de irlandeses católicos que se alistaram no exército profissional britânico. Dos 200.000 voluntários irlandeses no exército britânico, cerca de 30.000 acabariam morrendo.

Os britânicos consideravam os irlandeses (como, aliás, os escoceses) como "guerreiros ferozes" que, com o "apropriado" enquadramento por oficiais principalmente ingleses, eram bastante úteis em todos os tipos de conflitos coloniais, enquanto os irlandeses e escoceses viam o exército como um pão e manteiga que, além disso, prometia "aventura" em "lugares exóticos".

Por insistência do governo francês, a Rússia enviou um exército expedicionário de 8942 infantaria para lutar na frente ocidental da França em 1916. Após o colapso do exército russo e o acordo de paz entre a Rússia e a Alemanha, muitos ex-soldados russos foram colocados para trabalhar na economia francesa; alguns foram deportados para a Argélia, e algumas unidades do exército continuaram a lutar ou foram recrutados para o exército francês.

Separada estava a contribuição dos "sul-africanos". Eles tinham acabado de sair de 10 anos de guerra sangrenta com os britânicos e agora eram aliados contra um inimigo que só conheciam por rumores. Além disso, muitos bôeres se sentiam parecidos com os alemães coloniais da

Alemanha-Sudoeste da África e estavam relutantes em combatê-los.

Os afrikaners pró-alemães e militantes antibritânicos se revoltaram contra a participação na rebelião de Maritz, mas foram derrotados e seu líder Christiaan de Wet foi preso. Tropas coloniais "coloridas" britânicas da Índia, Nepal e até da Jamaica, juntamente com o *Corpo de Trabalho* Britânico-Chinês, foram conduzidas para a Europa com promessas duvidosas e sem nenhum obstáculo para a imaginação.

Em suma, a guerra era vista como algo que endireitaria as relações nacionais e internacionais, acabaria com os "males sociais", purificaria as mentes dos jovens, os educaria e faria deles homens de verdade.

Batalha de trincheiras

Enquanto a política alemã assumia que o Reino Unido permaneceria neutro, entretanto o comando supremo alemão havia preparado um plano de guerra que tornaria impossível essa neutralidade (o Plano Schlieffen). O Reino Unido garantiu a neutralidade belga. Quando isto foi violado em 3 de agosto e os Uhlans alemães marcharam incendiários para os fortes ao redor de Liège, Londres ficou sem opção a não ser dar a Berlim um ultimato e eventualmente declarar guerra.

Os exércitos alemães marcharam através da Bélgica e do norte da França. Eles avançaram até perto de Paris, embora esta cidade não fosse o alvo do ataque. Enquanto isso, na Alsácia, os franceses lançaram um ataque de acordo com seu próprio Plano XVII e foram sangrentamente repelidos. Massas de infantaria avançaram para as trincheiras alemãs, onde, no entanto, foram abatidas com metralhadoras. Com seus uniformes azuis-avermelhados brilhantes, eles formaram alvos vivos.

O avanço em forma de crescente dos alemães através da Bélgica e do norte da França parecia inicialmente ir razoavelmente de acordo com o planejado. Liège e o círculo de fortes gigantes ao seu redor foram ocupados em poucos dias, e a Força Expedicionária Britânica (BEF) foi derrotada na Batalha das Fronteiras. Os alemães avançaram até o Rio Marne, onde os franceses tentaram detê-los. Os franceses reivindicaram a vitória, mas, segundo muitos historiadores, se houvesse um vencedor, a Batalha do Marne seria vencida pelos alemães e não pelos franceses. No entanto, o nervoso pessoal geral, que já havia notado pequenos desvios do plano, decidiu deixar o exército alemão recuar para Chemin des Dames. A frente cresceu devido aos movimentos circunferenciais de ambos os lados (a Corrida ao Mar) para o oeste até a costa do Mar do Norte. O governo francês se sentiu ameaçado em Paris e se estabeleceu temporariamente em Bordeaux.

Com exceção da Espanha e dos países nórdicos, da Suíça e da Holanda, todos os países europeus acabariam por se envolver na Primeira Guerra Mundial.

Em geral, esperava-se que fosse uma guerra curta. Em casa novamente quando as folhas caem e de volta para casa antes do Natal eram slogans comuns. Mas tornou-se uma guerra sem precedentes, longa e brutal, cujas frentes foram fixadas após apenas um mês e meio. Já nos primeiros meses da guerra em 1914, isto era evidente: os belgas perderam 30.000 pessoas (em cinco meses tantos quanto em cada ano de guerra subseqüente), os alemães 241.000 e os franceses 306.000.

O que se seguiu foi uma batalha de trincheiras sem sentido que custou milhões de vidas. Uma batalha, como a Batalha de Verdun ou a Batalha do Somme, deixou mais mortos e feridos do que todas as batalhas do século anterior combinadas (no Somme 600.000 Aliados e 750.000 Alemães).

Somente muito lentamente os comandantes supremos militares perceberam que nesta guerra, na qual ainda consideravam o ataque como o único meio de salvação, os defensores estavam sempre em vantagem.

Os atacantes morreram em cachos, pois o fogo rápido e o bombardeio de bombas tinham agora tornado a velha tecnologia de combate e armas desesperadamente ultrapassada.

A trincheira

As linhas de defesa foram formadas por:

- A primeira linha, formada por postos avançados, ninhos de metralhadoras e afins, foi conectada à linha principal por pequenas trincheiras.
- A linha principal, que formava a trincheira atual. Aqui os soldados ficaram e puderam se locomover.
- O sertão. Isto foi conectado à linha principal através de pequenas trincheiras e ferrovias.

Entre as trincheiras alemãs e Aliadas havia uma faixa de lama, arada por explosões de granadas e infantaria, e cheia de minas terrestres e arame farpado. Esta era a terra de ninguém. A única coisa que cresceu na terra de ninguém e nas trincheiras foi a papoula (papoula). É por isso que esta flor vermelha é um símbolo da Primeira Guerra Mundial.

A vida na trincheira foi um pesadelo. As valas, especialmente na primavera, inverno e outono, formavam trincheiras lamacentas nas quais se afundava afundando na lama. Tudo ficou úmido e sujo e a água penetrou em roupas e botas. Isto levou, entre outras coisas, a pés de trincheira, a imersão de pés molhados prolongados com risco muito maior de danos e, portanto, infecções com o resultado final sendo a morte por gangrena.

Às vezes eram utilizadas tábuas de madeira para melhorar a facilidade de caminhar; nas trincheiras alemãs, isto era comum um pouco mais rápido. Muitas vezes, devido às condições e ao grande número de cadáveres, os cadáveres não poderiam ser enterrados rapidamente. Os cadáveres e outros resíduos atraíram ratos, que poderiam se multiplicar rapidamente. Somente quando parte da frente estava "em repouso" por um período mais longo, foi possível alcançar alguma melhoria nas condições de vida.

Em ofensivas, foi ainda pior. Os defensores foram às vezes submetidos a bombardeios de artilharia durante dias. Enquanto isso, os atacantes reuniam as tropas. Quando (pensava-se) toda a artilharia e ninhos de metralhadoras inimigas foram derrubados, a infantaria atacou, sob a cobertura de tiros. s vezes a coordenação não era boa: então os soldados perderam a cobertura ou foram despachados por sua própria artilharia. A propósito, isto também foi feito deliberadamente se a infantaria não avançou suficientemente rápido. Foi assim que os soldados fizeram a travessia através da terra de ninguém até a trincheira inimiga.

Entretanto, a maioria dos defensores já sabia o que ia acontecer devido à preparação intensiva não disfarçada (o reconhecimento aéreo desempenhou um papel importante pela primeira vez) e dias de bombardeio e retirou-se parcialmente.

Isto criou um destaque no qual a infantaria atacante ficou presa. Os ninhos de metralhadoras nos flancos abriram fogo e a defesa da infantaria avançou enquanto sua própria artilharia era muitas vezes lenta demais, pois ficou presa na lama na terra de ninguém. Agora completamente sem cobertura, a infantaria atacante foi praticamente massacrada, em muitos casos até o último homem. Em 1915, tais ataques menores ocorriam regularmente.

Os alemães geralmente tinham mais trincheiras viáveis do que os Aliados. Com os Aliados (especialmente os franceses em cujo território ocorreram lutas), a construção de boas trincheiras foi desencorajada de um ponto de vista ofensivo, e os alemães, além disso, haviam recuado para posições mais elevadas e, portanto, mais defensáveis (mas também mais secas) em muitos lugares.

Além de toda a sujeira que também trouxe muitas doenças, coisas como medo contínuo, solidão e monotonia também foram um inferno para os soldados.

Durante dias de bombardeio ou na hora do código vermelho, o medo de morrer deve ter sido insuportável. Há histórias de soldados que acenderam um cigarro e ao acendê-lo se tornaram um alvo para os franco-atiradores. É daqui que vem a superstição de que um incêndio nunca deve acender mais de um cigarro - afinal, isto deu aos franco-atiradores tempo suficiente para apontar.

Devido a todas as experiências terríveis e traumáticas nas trincheiras, alguns soldados sofreram com o chamado choque de concha. Nesta condição, o soldado sofre de tiques ou convulsões, tais como tremores nos olhos, ou mesmo arrepios. Shellshock era considerado uma forma de covardia, portanto, soldados com esses sintomas eram normalmente executados por seu próprio grupo .

A solidão era comum. As amizades entre homens raramente duraram mais de um mês, em parte devido ao grande número de vítimas. A solidão resultou em todos os tipos de sintomas estranhos. Alguns homens formaram amizades com ratos ou objetos e os consideravam como família, outros falavam constantemente consigo mesmos ou com cadáveres. A falta de mulheres resultou em relações sexuais entre os homens.

A monotonia da vida de um soldado combinada com o acima exposto causou a chamada "síndrome da trincheira" entre os sobreviventes após a guerra. Muitos homens não puderam retomar suas vidas antigas e continuaram a viver com as mesmas idiossincrasias que nas trincheiras.

67

Guerra química e biológica

No primeiro mês da guerra, em agosto de 1914, soldados franceses atiraram gás lacrimogêneo (brometo de xylyl) contra os alemães, tornando-os os primeiros a usar gás venenoso. Entretanto, o exército alemão foi o primeiro a conduzir uma pesquisa intensiva sobre gás venenoso, liderado pelo eminente químico alemão e ganhador do Prêmio Nobel Fritz Haber, e foi o primeiro a usá-lo amplamente em 1915. Mas os franceses, incluindo o químico e também o prêmio Nobel Victor Grignard, também estavam trabalhando intensamente nisso.

Na frente russa, os alemães usaram xylyl brometo pela primeira vez na Batalha de Varsóvia, mas o gás condensou devido à baixa temperatura e até congelou. Mais tarde, os cilindros de gás cloro foram colocados em pequena escala na frente oriental pela primeira vez.

Os oficiais espantados viram seus soldados desaparecerem em nuvens verdes e caírem. Alguns correram para trás, gritando que os alemães os estavam envenenando com uma "névoa verde".

Após esta experiência, os alemães utilizaram o gás na Segunda Batalha de Ypres. Mais de 5.000 cilindros de gás cloro foram abertos. Os regimentos defensores franceses ficaram presos e uma distância de 6 km foi criada. Os alemães tinham pretendido este ataque como uma experiência e não tinham contado com tal sucesso. Não havia soldados disponíveis para fazer passar.

Após este sucesso, surgiram vários tipos de armas químicas de guerra, como o fosgênio e, em 1917, o gás mostarda. Cientistas alemães e mais tarde franceses também tentaram colocar patógenos em várias bombas;

69

especialmente a peste. Os primeiros passos para uma guerra biológica séria haviam sido dados.

As armas químicas foram logo e amplamente utilizadas também pelos Aliados. As primeiras máscaras de gás que apareceram foram primitivas (por exemplo, um pano embebido em água ou urina) e quase não ajudaram em nada.

Somente após extensas pesquisas é que as máscaras de gás melhoraram significativamente, o que não melhorou a eficácia das já muito caras armas químicas. Além disso, foi um caso muito arriscado para suas próprias tropas, pois o vento poderia fazer o gás ir pelo caminho errado após a abertura dos cilindros. Esta última foi resolvida com o uso de granadas de gás a partir de agora.

Motim

Em resposta às enormes perdas, não apenas durante as grandes batalhas, mas também em incontáveis batalhas menores, os soldados franceses perceberam que atacar simplesmente era o mesmo que suicidar-se. No entanto, o comando do exército não conhecia tática melhor. Muitos soldados se voltaram para o motim em 1917, às vezes até mesmo regimentos inteiros ao mesmo tempo. Na verdade, motim ó uma palavra muito grando, poie oe eoldadoe não se revoltaram. Eles entraram em greve e cometeram resistência passiva. Eles não protestavam tanto contra a guerra em si, mas contra as táticas utilizadas onde os soldados eram sacrificados pelos milhares em ataques que nada conseguiam.

Os soldados rebeldes se recusaram a cumprir ordens. Mas também houve principalmente resistência passiva: eles riram dos oficiais ao ler relatos das chamadas vitórias.

Ao marcharem para a frente, ladraram como ovelhas supostamente sendo levadas ao abate. Eles assustaram os oficiais ameaçando matá-los "com uma bala perdida" no próximo ataque. Eles se escondem sempre que possível para escapar das ordens. Somente para oficiais e sargentos que se atreveram a viver entre eles na trincheira, eles ainda tinham algum respeito.

Não há relatórios inequívocos sobre a extensão do motim. Os relatórios oficiais falavam de 2 ou "algumas" divisões.

De acordo com historiadores franceses, um total de 40 a 80 mil soldados estaria envolvido, ou apenas cerca de 5% do total. Historiadores como John Keegan, no entanto, assumem que em certo ponto o motim se estendeu a 50 divisões francesas.

Isto assustou os Aliados. Se os alemães descobrissem isso e atacassem imediatamente, eles poderiam assim rolar pela frente de Amiens até Verdun e depois caminhar até Paris. O General Pétain, o novo comandante-chefe, decidiu falar com os soldados.

Ele fez isso dirigindo a artilharia leal em regimentos rebeldes, por um lado, mas, por outro, concedendo melhores licenças e não mais utilizando o exército francês para ofensivas. 500 amotinados franceses foram condenados à morte em 1917, dos quais apenas 26 foram efetivamente executados. Pétain manteve sua palavra:

não foram mais realizadas grandes ofensivas pelo exército francês.

Refugiados belgas

Após a invasão alemã, muitos belgas fugiram. Milhares de pessoas via Ostende e Zeebrugge para a Inglaterra ou de lá para a França. Mais de um milhão de belgas fugiram para a Holanda. Estes refugiados incluíam 33.000 soldados. Estes foram internados porque o direito internacional exigia que a Holanda, como país neutro, garantisse que as tropas e recursos das partes em conflito que desembarcaram em seu território não pudessem mais participar da batalha. Milhares de soldados belgas "motivados" escapariam para voltar à guerra via Grã-Bretanha e França de qualquer forma.

Os refugiados foram inicialmente calorosamente acolhidos. Houve ultraje pela violação da neutralidade e admiração do pequeno país por sua perseverança.

No entanto, o grupo de refugiados era tão grande que logo surgiram problemas com moradia e saúde. As autoridades belgas conclamaram os refugiados a retornarem à pátria, agora ocupada.

A maioria dos refugiados de guerra realmente retornou para casa antes do final do ano. No entanto, mais de 100.000 belgas ficaram para trás na Holanda. Entre eles as famílias dos soldados internados. Deste grupo, aqueles que não puderam se sustentar (cerca de 20.000) foram acomodados em refúgios em Gouda, Uden, Nunspeet e Ede, que foram supervisionados pelo governo holandês e

75

onde os belgas ficaram alojados em muito boas condições até o final da guerra. As inspeções da Cruz Vermelha internacional, lideradas pela Suíça, confirmaram isso em várias ocasiões.

Os refugiados no Reino Unido realmente estabeleceram colônias belgas inteiras com todas as aparas. Típicas são as igrejas e comunidades católicas em um país predominantemente protestante. Muitos milhares de crianças belgas fizeram sua primeira ou solene comunhão no Reino Unido; a vida belga continuou lá, como de costume.

Fugitivos belgas que não precisavam ir para a frente de trabalho em seu país anfitrião. Na França, o empenho e a diligência dos belgas foi apreciado pelas fábricas e pelos agricultores. Entre a burguesia mais rica, as empregadas belgas foram bem consideradas.

Foram realizadas ações de coleta em todo o Império Britânico e em muitos países neutros para ajudar os belgas. Organizações de mulheres na Austrália, Nova Zelândia e Canadá coletaram dinheiro e roupas para os belgas. Eles faziam bolos que vendiam nos mercados, enquanto seus maridos e filhos morriam pelos arbustos da Flandres. Os países neutros escandinavos fizeram o mesmo, assim como os norte-americanos e sul-americanos. O governo dinamarquês, por exemplo, pagou todos os custos de um dos campos de refugiados na Holanda.

Após a guerra, as principais universidades americanas realizariam outra grande campanha de arrecadação de fundos para reconstruir a Biblioteca Universitária de Leuven. Em maio de 1940, no entanto, os alemães fizeram seu trabalho destrutivo de novo.

Itália

A Itália havia sucumbido às promessas dos Aliados. Os Centros viam isso como traição, já que a Itália tinha a Tríplice Aliança com a Áustria e a Alemanha. Mas a Itália era mais um fardo do que um apoio; o país economicamente fraco tinha que ser abastecido de carvão e crédito pelo Reino Unido, e os soldados italianos tinham que ser sempre ajudados por soldados franceses.

Além disso, os italianos não procuraram além dos territórios austríacos que seriam seus. Os piemonteses

78

resistiram corajosamente, mas as tropas do sul da Itália não tinham motivação para lutar.

A batalha da Itália contra a Áustria-Hungria na Primeira Guerra Mundial também é conhecida como *a Guerra Branca*. Isto porque a maior parte da guerra ocorreu nos Alpes. O exército italiano foi comandado pelo notório Marechal Luigi Cadorna.

Quando a Itália desertou repentinamente para o Entente, a Áustria-Hungria já estava em guerra há quase um ano. A maior parte de seu exército estava combatendo os russos a 1.200 quilômetros de distância, na província da Galiza, no nordeste da Áustria. Havia também outra frente contra a Sérvia. Devido a esses esforços de guerra, poucas tropas estavam disponíveis na região da fronteira ítalo-austríaca.

No entanto, uma guarnição havia sido deixada na fronteira italiana, e a fronteira também havia sido fortificada várias vezes ao longo dos anos. Isto porque os austríacos sempre haviam desconfiado dos italianos.

Após a declaração de guerra, as tropas aqui estacionadas foram complementadas por reservistas; as pessoas se apressaram em reunir-se na região. Jovens que não tinham treinamento, muito menos experiência em combate, agricultores e homens mais velhos. Os homens mais velhos (incluindo os veteranos), entre os quais 50 anos não eram exceção, não podiam mais ser chamados para o serviço militar por causa de sua idade. No entanto, como havia uma ameaça aguda, estas pessoas ainda estavam destacadas para defender o país.

Apesar da composição do exército, estes austríacos estavam bem motivados e determinados a manter os italianos fora do país. Além disso, eles conheciam a área como a palma de sua mão.

A única vantagem dos italianos era sua grande superioridade numérica. A maior parte do exército italiano não estava motivada e o terreno também funcionava em desvantagem para os italianos. De fato, eles tiveram que tomar encostas de montanhas fortificadas no lado austríaco da fronteira. Além disso, o exército italiano sofreu com a incompetência e a teimosia da Cadorna.

Na época em que os italianos haviam mobilizado seu exército, os austríacos já se haviam entrincheirado em posições (fortificadas) nos flancos das montanhas e nos picos dos Alpes (onde desníveis de 30-40 por cento não eram exceção).

Como a Itália queria tomar partes da Küstenland (incluindo Trieste) e Tyrol, Cadorna deu a ordem de atacar as posições. Como a infantaria não era bem apoiada pela artilharia (porque havia muito poucas divisões de artilharia) e porque os italianos tinham uma posição ruim em relação aos austríacos, os ataques foram desastrosos para os italianos. No entanto, Cadorna deu repetidas vezes ordens para continuar atacando, algo que não serviu de nada para a já fraca motivação dos soldados.

Os italianos também tentaram contornar as posições austríacas escavando túneis nas montanhas. Entretanto, os austríacos traçaram os túneis italianos usando geofones. Depois disso, eles cavaram túneis abaixo dos italianos, apenas para explodi-los.

Quando o exército de montanha austríaco foi complementado com soldados transferidos de outras frentes e recebeu ajuda do exército alemão, no qual Erwin

Rommel, entre outros, serviu, as coisas desceram ainda mais rápido para o exército italiano.

Os combates concentraram-se ao redor do rio Isonzo, onde um total de 12 batalhas seriam travadas. As táticas italianas consistiam em formações fechadas enviadas para as posições do inimigo. Depois de 11 batalhas sem esperança, o moral italiano havia afundado a um mínimo histórico.

Mesmo comparado às tropas aliadas na frente ocidental, o equipamento, o racionamento, o treinamento e o pagamento das tropas era de um nível dramaticamente baixo. No entanto, as medidas da Cadorna contra a queda do moral foram contraproducentes.

Entre outras coisas, ele reintroduziu a punição romana da dizimação e o número de execuções foi elevado. Por causa desse baixo moral, o contra-ataque austro-húngaro veio com mais força; em 24 de outubro de 1917, a Áustria-Hungria, apoiada pelos alemães, atacou no que viria a ser chamado a Batalha de Caporetto. Novamente, os alemães usaram gás venenoso de proporções semelhantes à batalha de Verdun. As defesas italianas não estavam preparadas para um ataque tão feroz e tiveram que desistir de 25 quilômetros. Cadorna não admitiria que havia sido cometido um erro e o comando supremo italiano esperou uma semana antes de ordenar um retiro. Devido à enorme perda de homens e ao fracasso geral, os britânicos e franceses forçaram Cadorna a ceder sua posição a Armando Diaz.

Somente quando, em parte devido a problemas internos, a Áustria-Hungria finalmente entrou em colapso e foi oferecida pouca resistência, os italianos puderam ocupar partes do Tirol e da Eslovênia.

O grande número de baixas já criou uma forte atmosfera revolucionária entre os soldados (em sua maioria comunistas) durante a guerra.

Após a guerra, surgiu um grande descontentamento social sobre as baixas sofridas e a pobre economia, também se sentiu que os Aliados não haviam cumprido suas promessas e não haviam atribuído todos os territórios prometidos à Itália pelo Tratado de Versalhes. Isto levaria eventualmente à ascensão dos fascistas e de Benito Mussolini em 1922.

Os Bálcãs

A Áustria-Hungria, que havia iniciado a guerra contra a Sérvia, tentou ocupá-la três vezes. Três vezes os Habsburgs foram afastados. Em 1915, após a adesão da Bulgária e da Turquia aos Centros, a Sérvia foi ocupada da Áustria-Hungria e da Bulgária sob a supervisão alemã.

A Bulgária, aliás, desistiu depois disso. Como disse um general: "Temos o que queremos (Macedônia), não faremos mais nada". As últimas tropas sérvias e aliadas foram levadas para Corfu e Thessaloniki.

Esta última cidade foi cercada pelos búlgaros. No outono de 1918, entretanto, os Aliados desembarcaram um grande exército perto de Tessalônica e conseguiram romper e derrotar a Bulgária em setembro de 1918. Na Sérvia, eles avançaram para o Danúbio, enquanto as tropas britânicas avançaram ao longo da costa para Istambul.

O Oriente Médio

Antes do início da guerra, o Império Otomano tinha bons contatos com os britânicos e alemães, entre outros, que os haviam ajudado esporadicamente nas guerras contra o Império Russo. O Império Otomano era então governado pelo triunvirato dos jovens turcos. Entretanto, os russos e os britânicos optaram por trabalhar juntos desta vez.

Enver Pasha, o mais influente jovem turco, favoreceu fortemente a Alemanha e não gostou muito do Império Russo, que havia humilhado tanto o Império Otomano nos Bálcãs, na Crimeia e no Cáucaso nas décadas anteriores.

Em 2 de agosto de 1914, os turcos e os alemães assinaram um acordo secreto e, em 5 de novembro, os turcos declararam guerra aos Aliados. A liderança do Império Otomano viu a guerra como a última chance de retomar os territórios perdidos para a Rússia em torno do Mar Negro.

Os turcos lutaram em quatro frentes. Na parte ocidental do Império, vários ataques de britânicos e franceses na península de Gallipoli foram repelidos com sucesso na Batalha de Gallipoli. No Oriente Médio, uma batalha feroz foi travada contra o Reino Unido e os combatentes árabes nacionalistas que eles mobilizaram.

Os britânicos atacaram várias vezes locais ricos em petróleo no sul da Pérsia e do Iraque com esses exércitos, que consistiam principalmente de índios muçulmanos, além de súditos britânicos e árabes, e também abriram uma frente na Palestina, a partir de suas bases no Egito.

A campanha do Cáucaso contra a Rússia foi talvez a mais dura para o Império Otomano; também aqui foram travadas batalhas por campos de petróleo, os do Azerbaijão. No norte da Pérsia, os otomanos, juntamente com os povos de língua turca da Pérsia e com a ajuda de oficiais alemães e suecos, lutaram contra os exércitos dos russos e dos britânicos.

O objetivo das partes beligerantes era garantir os campos petrolíferos da Pérsia. Além disso, o objetivo do Império Otomano era fornecer uma ligação terrestre aos povos túrquicos da Ásia Central e da China.

Os otomanos, por insistência alemã, declararam uma jihad contra os Aliados, tentando conseguir o apoio de árabes e outros muçulmanos.

No entanto, isto teve pouco sucesso. Os árabes estavam insatisfeitos com o domínio turco e os aliados lhes prometeram independência se aderissem à luta contra os turcos.

87

Os britânicos, particularmente Thomas Edward Lawrence ("Lawrence da Arábia"), conseguiram persuadir Hussein ibn Ali, a Shariah de Meca na Arábia, a lutar ao seu lado. Os árabes e os britânicos expulsaram os turcos durante a chamada revolta árabe.

Do outro lado da Península Arábica também, os britânicos tentaram atacar o poder turco através da campanha da Mesopotâmia. Em 1914, o xeque formalmente subordinado do Kuwait aos turcos desertou para os britânicos e Basra foi levado. Em 1915, o general Charles Vere Ferrers Townshend iniciou um avanço constante em direção a Bagdá, que foi, entretanto, interrompido em Ctetisphon, após o que Townshend e seu exército foram sitiados em Kut-al-Amara pelas tropas turcas lideradas pelo marechal alemão Von der Goltz, e finalmente tiveram que se render em abril de 1916. Os britânicos viram isto como uma derrota humilhante que teve que ser vingada, e em dezembro de 1916 uma nova força militar sob o General Frederick Stanley Maude avançou em direção a Bagdá.

Bagdá caiu em 11 de março de 1917, mas depois disso o avanço parou: inicialmente devido à forte resistência turca e depois devido ao desinteresse do Comando Supremo por este teatro de guerra. Foi somente em outubro de 1918 que o avanço foi retomado com o conhecimento de que um armistício estava sendo negociado e com o objetivo de ocupar o máximo de território possível e fortalecer a posição de negociação.

Em dois dias, 120 km foram avançados, o exército turco foi finalmente derrotado, e em 14 de novembro de 1918, com o armistício já no lugar, Mosul foi ocupado.

No Cáucaso, os turcos lutaram contra a Rússia com diferentes graus de sucesso. Muitos armênios, um dos maiores grupos populacionais da parte oriental do Império, juntaram-se aos russos na esperança de estabelecer seu próprio Estado nacional. Como resultado, a liderança militar turca confiou tão pouco nos armênios durante a guerra que eles ordenaram a deportação de toda a população armênia para o deserto sírio. Isto levou ao genocídio armênio, que causou cerca de 500.000 a 1,5 milhões de vítimas.

Após a Revolução Russa, o exército turco reconquistou o Cáucaso, mas ainda teve de se render em 1918. A desconfiança do governo turco em relação às minorias étnicas e religiosas também levou ao genocídio grego contra os gregos pontifícios, ao genocídio assírio contra osuryoye e à grande fome nas montanhas do Líbano contra os drusos e maronitas.

Após a guerra, a área foi dividida em vários protetorados. A França, o Reino Unido e a Rússia receberam uma parte do Oriente Médio, e a própria Turquia foi dividida entre gregos, russos, italianos, armênios, franceses e britânicos pelo Tratado de Sèvres em 1920. Entretanto, a guerra no Oriente Médio continuou sob a forma de várias guerras de independência, como a Guerra da Independência da Turquia, que invalidou o Tratado de Sèvres.

África e Ásia

O modesto império colonial da Alemanha foi desmontado com relativa facilidade. Em todos os lugares, os alemães estavam numericamente em desvantagem numérica e isolados de sua pátria. O Togoland alemão, os Camarões e o Sudoeste da África já estavam ocupados pelos Aliados em 1914 e no início de 1915.

Um exército de 60.000 japoneses cercou a pequena guarnição alemã de Kiautschou. Várias ilhas do Pacífico também foram ocupadas pelos japoneses, enquanto os britânicos ocuparam o Imperador Wilhelmsland e as Ilhas Salomão da Austrália.

A China declarou guerra à Alemanha e enviou milhares de trabalhadores para as trincheiras a fim de trabalharem em apoio.

O Japão não enviou um homem para a frente depois de ocupar as colônias e concessões alemãs, mas fez um ultimato à China (os Aliados, aliás, assobiaram de volta ao Japão). A atribuição das concessões alemãs na China ao arqui-inimigo Japão foi particularmente ressentida pelos

chineses e também por muitos americanos, Woodrow
Wilson.

Somente na África Oriental alemã, mais tarde na
Tanzânia, os alemães, liderados por Paul von Lettow-
Vorbeck, resistiram até depois do armistício de 1918.

A guerra aérea

Inicialmente, a guerra aérea desempenhou um papel modesto. As aeronaves foram utilizadas, como nas guerras dos Balcãs, apenas para voos de reconhecimento. A primeira batalha aérea ocorreu quando um avião de reconhecimento sérvio encontrou uma aeronave austro-húngara em agosto de 1914. O piloto desenhou um revólver e disparou contra a aeronave sérvia. Imediatamente, todos os pilotos foram equipados com revólveres, seguidos posteriormente por metralhadoras a bordo.

O reconhecimento foi e continuou sendo o principal objetivo da aeronave. A bomba também ocorreu, mas isso exigiu que o piloto segurasse a bomba entre suas pernas e exercitasse ele mesmo a aeronave. Também foram utilizados Zeppelins. Esses gigantes podiam carregar mais bombas e eram freqüentemente usados pelos alemães para bombardear Londres.

No entanto, eles também eram um alvo fácil e muito vulneráveis por serem tão grandes e cheios de hidrogênio. Além do reconhecimento e do bombardeio, a intimidação da população era um objetivo da implantação de aeronaves e zepelins.

Famosas foram as muitas "lutas de cães" entre os pilotos alemães e aliados.

Manfred von Richthofen, ou o Barão Vermelho, obteve 80 vitórias. O francês René Fonck não estava muito atrás com 75 anos. Hermann Göring, o último marechal aéreo e fiel ao partido nazista, também foi piloto de guerra.

Participação na guerra dos EUA

A Alemanha respondeu ao bloqueio dos Aliados com a arma submarina. Os submarinos alemães desnataram os mares e torpedearam os navios mercantes. Além dos navios aliados, navios neutros também foram ocasionalmente atingidos, como o Lusitânia.

Isto foi muito culpado aos alemães por muitos neutros, inclusive os Estados Unidos. No entanto, os americanos mantiveram por muito tempo sua distância da guerra, que viam como um assunto europeu, por causa da Doutrina Monroe.

Não houve movimento nas frentes em 1917. Uma tentativa alemã de destruir a frota britânica para quebrar o bloqueio havia fracassado com a batalha naval da Jutlândia em 1916.

Os alemães destruíram mais navios do que os britânicos, mas não se aventuraram mais em mar aberto. Uma guerra submarina sem limites daria a chance de isolar o Reino Unido e forçá-lo a se render. Entretanto, isto poderia levar a uma guerra com os Estados Unidos.

Os alemães avançaram com o plano, mas tentaram fazer com que o Japão e o México se juntassem aos Centros para distrair os americanos. Um telegrama para este fim (telegrama Zimmermann) foi interceptado pela inteligência britânica e transmitido ao governo dos EUA.

Em resposta a isto, e à guerra submarina sem restrições, o Presidente Woodrow Wilson, que estava em mãos Aliadas desde o início, conseguiu convencer o Parlamento dos EUA a declarar guerra à Alemanha em 6 de abril de 1917.

Os mexicanos haviam emergido da Revolução Mexicana e não precisavam de outra batalha. O Japão não tinha necessidade de mudar de lado.

A presença americana, especialmente no início, tinha um valor puramente psicológico. Por mais colossal que fosse a Marinha dos EUA, seu exército terrestre era pequeno. Havia muita mão de obra, mas insuficiente armamento. Os cânones tiveram que ser emprestados dos britânicos.

Entretanto, os alemães enfrentaram um novo exército que continuou crescendo. Seus submarinos eram insuficientes para deter os comboios de guerra. O tempo estava trabalhando em sua desvantagem: cada vez mais tropas estavam chegando à Europa e as fábricas de armas
97

americanas intactas estavam funcionando em plena capacidade. A Batalha do Escalda foi travada com um destacamento significativo de tropas terrestres dos EUA. O Cemitério e Memorial Americano de Flanders Field é uma testemunha silenciosa disso.

Lista das principais batalhas na frente ocidental

- A Batalha das Fronteiras
- Fortes ao redor de Liège
- Batalha de Halen, Batalha dos Capacetes de Prata
- Fortalezas de Antuérpia
- Primeira Batalha de Bergen
- Segunda Batalha de Bergen
- A batalha do Yser
- Batalha de Ypres
  - Primeira Batalha de Ypres
  - Segunda Batalha de Ypres
  - Terceira Batalha de Ypres
  - Quarta Batalha de Ypres, ofensiva de Lys
- A batalha da mina em Messines
- Batalha de Passchendaele
- A Batalha de Marne
- Chemin des Dames

- Batalha de Verdun
- Forte Douaumont
- A batalha do Somme
- Batalha de Cambrai
- Linha Hindenburg
- Kaiserschlacht
- A batalha do Escalda

Outras batalhas importantes:

- Batalha de Neuve-Chapelle
- Batalha de Artois
- A batalha na região de Champagne
- Batalha de Loos
- Batalha de Nivelle
- Batalha de Arras
- A batalha de Amiens

A gripe espanhola

Em 1918, uma onda de gripe se espalhou pelo mundo.
Sua existência tornou-se conhecida através da mídia
espanhola, que começou a relatar uma onda de gripe na
qual pessoas estavam morrendo.

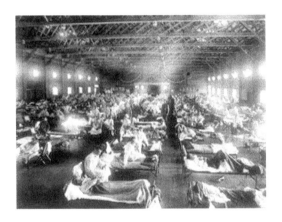

Como resultado, a gripe logo ficou conhecida como a gripe
espanhola. Esta onda de gripe parecia ter vindo das
tropas americanas enviadas para a Europa. Os
americanos também infectaram outros corpos do exército:
os britânicos, os franceses e eventualmente os alemães.
Quando as tropas voltaram após a guerra, a gripe se

espalhou pelos desfiles festivos em que as tropas foram acolhidas.

Ao contrário da maioria das doenças, a gripe espanhola afetou fatalmente não apenas crianças pequenas e idosos, mas também pessoas de 20 a 40 anos.

Além disso, a resistência de muitos indivíduos havia sido minada. Estimativas conservadoras assumem que esta pandemia ceifou 20 milhões de vidas; estimativas mais altas vão até 100 milhões. Se contarmos estas baixas como mortes resultantes da Primeira Guerra Mundial, o número total de mortos ultrapassa a Segunda Guerra Mundial, tornando-a o conflito mais mortífero que a humanidade já conheceu.

Objetos conscienciosos

Houve também aqueles que recusaram o serviço por objeção de consciência.

Na Holanda, por exemplo, havia o Dienstweigeringsmanifesto 1915, e nos Estados Unidos os objectores de consciência eram "objectores de consciência".

Eles incluíam os irmãos "Hutterite" Jacob, Michel e David Hofer e seu cunhado Jacob Wipf, o católico romano Ben Salmon (que também foi condenado por sua própria igreja americana), Roger Baldwin (que fundou a União Americana das Liberdades Civis).

Eles foram encarcerados e alguns morreram - negligenciados e maltratados - em cativeiro. A saúde de muitos foi considerada prejudicada após a liberação.

O fim da guerra

Após a paz com a Rússia, tropas alemãs da Frente Leste foram trazidas para o Ocidente, na medida em que não foram utilizadas como ocupação.

Cerca de meio milhão de soldados retornaram do Leste. No verão de 1918, os generais alemães Paul von Hindenburg e Erich Ludendorff decidiram sair com estas tropas uma última vez. Os alemães atacaram na frente ocidental em três pontos:

1. Uma ofensiva na Marne contra os franceses (Operação *Blücher-Yorck*);

2. Uma ofensiva sobre o Somme para conduzir uma cunha entre os franceses e os britânicos (Operação *Michael*);

3. Uma ofensiva contra os britânicos e belgas em Ypres na Flandres (Operação *Georgette*).

À primeira vista, as ofensivas na frente ocidental foram bem sucedidas: as trincheiras foram abandonadas e os Centros ganharam terreno considerável, estavam a 50 quilômetros de Paris.

Os alemães, juntamente com as tropas austríacas, também lançaram uma ofensiva bem sucedida contra a Itália nos Alpes. As tropas italianas foram expulsas centenas de quilômetros em seu próprio país. O comando do exército italiano foi demitido e o já baixo moral das tropas italianas foi completamente quebrado.

Entretanto, as ofensivas pararam depois de um tempo. Embora os italianos não fossem capazes de oferecer nenhuma resistência significativa, o exército austríaco estava cansado da guerra até o final do verão e não podia empurrar mais para a Itália por si só. A ofensiva dos alemães na frente ocidental também estagnou em outra batalha de trincheiras.

Os Aliados tomaram a iniciativa e decidiram, no outono, abrir uma terceira frente e fazê-lo onde viam a melhor chance de vitória. Um exército esmagadoramente grande de 900.000 soldados aliados desembarcou na cidade costeira grega de Thessaloniki, com o objetivo de atacar os Centros aliados da Bulgária.

Assim, a Grécia neutra foi arrastada para a guerra, mas com o consentimento dos próprios gregos: seria atribuída uma parte da Bulgária após a guerra. Os Aliados também lançaram uma imensa ofensiva ao Ocidente, com a ajuda dos recém-chegados americanos, contra a Alemanha. Sob a influência desta ofensiva, combinada com outros eventos e uma revolução alemã, os Aliados acabariam vencendo a guerra.

A queda dos Centros, no outono de 1918, chegou rapidamente. Depois de algumas batalhas, a Bulgária foi derrotada e assinou um armistício em 29 de setembro de 1918. A revolta dos árabes contra o Império Otomano também trouxe divisões internas e os otomanos capitularam para os franceses e britânicos em 30 de outubro de 1918. Os britânicos e os franceses dividiram o Oriente Médio.

É uma falácia pensar que os Aliados fizeram grandes esforços de guerra contra a Áustria-Hungria. A Itália nunca tinha sido um partido forte, mas seu exército estava agora completamente em cabeçuda. Havia outras questões em jogo na Áustria-Hungria: o próprio país estava cansado da guerra e existiam divisões internas. O nacionalismo eslavo estava desempenhando um papel cada vez maior na monarquia dos Habsburgos, no final da guerra. Em 18 de outubro de 1918, a Tchecoslováquia declarou sua independência. Isto foi seguido por várias minorias eslavas (croatas, sérvios, bósnios) e eventualmente até mesmo a Hungria denunciou a Dupla Monarquia com a Áustria.

Foi pedido aos italianos uma trégua, mas eles se recusaram. O exército italiano viu sua chance e rapidamente reconquistou os territórios anteriormente perdidos e levou os austríacos cada vez mais longe. Seu objetivo era a cidade de Trieste, na costa do Adriático.

Após o fim da guerra, foram concedidas aos italianos várias regiões, incluindo o Tirol do Sul, de língua alemã. Mas os italianos sentiram que tinham recebido muito pouco durante as negociações em Versalhes, França. O negociador italiano Orlando até mesmo saiu furiosamente das negociações. O fascismo nasceu então rapidamente na Itália e já nos anos 20 Mussolini chegou ao poder.

Com a queda da Áustria-Hungria, os generais alemães Hindenburg e Ludendorff sabiam que estava tudo acabado. O moral do exército alemão afundou, especialmente porque os Aliados haviam acordado com os austríacos que as tropas poderiam circular livremente pelo território: toda a fronteira terrestre do sul da Alemanha estava, portanto, sob ameaça de invasão por parte dos Aliados.

Além disso, as ofensivas alemãs tinham parado um ou dois meses antes e a situação atual não oferecia nada no caminho da vitória. Os exércitos alemães estavam finalmente sem tudo e a revolução estava se aproximando. Através do general Wilhelm Groener, eles informaram ao Kaiser que não podiam mais contar com a lealdade do exército alemão. Um endurecimento da resistência na Flandres era apenas aparente: tudo estava em falta, até mesmo os uniformes. Os alemães começaram a se retirar da Bélgica, acabando até mesmo abrindo mão de territórios que haviam ocupado durante quatro anos. Os Aliados obtiveram imensos ganhos de terreno.

A liderança naval alemã planejou uma última batalha contra a frota britânica: ainda que não houvesse mais nada a ganhar. Mas os marinheiros e fuzileiros envolvidos já sabiam que isso era totalmente inútil e não sentiam que tinham que perder mais vidas por uma guerra perdida.

Uma rebelião de marinheiros nas cidades portuárias do norte da Alemanha irrompeu e se espalhou por todo o país. A revolução alemã havia sido declarada no início de novembro de 1918, acabando por abolir a monarquia e declarar a república alemã; o imperador fugiu para a Holanda, onde morreu em 1941.

As negociações, conduzidas por civis, aconteceram, e um armistício foi acordado. O armistício foi assinado em 11 de novembro de 1918, às 5 da manhã pelo comandante francês Ferdinand Foch e a delegação alemã, mas só entrou em vigor às 11 da manhã. Durante estas últimas seis horas, ainda houve muitas baixas em ambos os lados, mesmo que a rendição já tivesse sido assinada. Que a rendição foi assinada por civis e não por autoridades militares é muito importante: os nazistas mais tarde aproveitaram este fato para culpar a derrota por "uma facada nas costas das tropas por elementos vermelhos". Esta história continuaria a circular como a lenda da punhalada.

O Tratado de Versalhes foi seguido em 1919.

Impacto

Além dos danos causados diretamente, a guerra teve uma ampla gama de conseqüências políticas, econômicas e sociais. O mundo antes da "Grande Guerra" tinha desaparecido para sempre. A supremacia global da Europa, que durou séculos, tinha acabado. A crença otimista do século 19 no progresso havia dado lugar ao pessimismo cultural.

Vítimas

Uma conseqüência direta da luta, naturalmente, envolveu a destruição das vidas de muitas pessoas nas áreas em questão. Milhões de jovens (nos estados beligerantes, grande parte da geração de jovens de 16 a 30 anos) haviam perdido a vida como recrutas ou voluntários, muitos haviam sido mutilados para a vida e milhões de civis haviam se tornado refugiados. O mapa abaixo mostra quantos soldados foram recrutados por país beligerante e quantos foram mortos. Os números indicados para a Inglaterra também incluem as áreas que faziam parte do Império Britânico na época.

Além disso, milhões de animais (cavalos, burros, mas também elefantes, cães e pombos-correio) morreram na Primeira Guerra Mundial, usados para transporte e comunicação, entre outras coisas: os carros ainda eram relativamente poucos. Para eles, o Animals in War Memorial foi erguido no Hyde Park de Londres em 2004.

A Primeira Guerra Mundial baralhou completamente os mapas tanto da Europa como do mundo. Novos estados surgiram na Europa e no Oriente Médio.

Inúmeros outros conflitos internacionais surgirão a partir das novas fronteiras. Na Rússia, o comunismo havia chegado ao poder e a União Soviética iria emergir. A Polônia reconquistou sua independência e os Estados Bálticos foram estabelecidos.

O Império Alemão foi substituído pela República de Weimar, que cambaleia. A dupla monarquia austro-húngara tinha desaparecido. Os Bálcãs se desintegraram em estados separados, incluindo o Reino dos Sérvios, Croatas e Eslovenos (renomeado Reino da Iugoslávia em 1929). O Império Otomano deu lugar à República da Turquia. A Palestina foi ocupada pelos britânicos e transformada em território do Mandato Britânico em 1922. Uma única guerra terminou assim quatro séculos de impérios dinásticos: os Romanovs (1917), os Habsburgs (1918), os Hohenzollerns (1918) e os Ottomans (1923). A Europa havia sido enfraquecida pela guerra. Mais tarde, após a Segunda Guerra Mundial, a União Soviética e os Estados Unidos assumiriam o comando dos Estados mais atingidos.

Impacto **econômico** e social

Além dos danos diretos, os danos econômicos também foram enormes. Países como França, Alemanha, Itália e Grã-Bretanha estavam lutando com enormes dívidas, enquanto especialmente nas antigas zonas de combate, muitas fábricas, etc., estavam em ruínas.

Os países neutros também sofreram com a guerra. Houve uma escassez de carvão na Holanda, o que significou que os serviços de trem tiveram que ser cortados e as tarifas de trem foram aumentadas para refrear o transporte. O comércio por mar foi dificultado, causando todo tipo de escassez. Os civis também foram chamados para as forças armadas na Holanda para reforçar o exército.

A "inocente Europa Iluminada" do século XIX tinha desaparecido. Os Estados tomaram uma linha dura uns contra os outros. As tarifas alfandegárias foram introduzidas ou aumentadas e, na década de 1930, os países desvalorizaram suas moedas sem consultar outros países.

Não cooperação, mas desconfiança e antagonismo era o lema. Isto exacerbou a Grande Crise que durou entre 1929 e os anos 30. Além do nível estadual, isto também teve seu efeito no nível do "homem comum".

Ideologias autoritárias, como o comunismo e o fascismo, surgiram. Estes foram alimentados em parte por veteranos amargurados, que foram psicologicamente deslocados por suas experiências e não se encaixam mais na sociedade (especialmente nos países perdedores, que foram ainda mais afetados por tratados de paz excessivamente duros).

Eles encontraram refúgio em vários esquadrões que se prestaram a movimentos políticos. Exemplos foram os bandidos da SA, Fasci di Combattimento, Arrow Crossers,
114

a Guarda de Ferro e o KPD (Kommunistische Partei Deutschlands). Os moderados foram apanhados entre estes dois violentos incêndios. Em muitos países, a democracia foi, portanto, substituída pelo autoritarismo.

As rixas, compostas de veteranos amargurados, envolvidos em brigas uns com os outros, com moderados, ou com qualquer um cujo rosto não lhes agradava, não importava. Alguns historiadores vêem aqui uma causa para a "brutalização" da sociedade ("violência sem sentido").

Trabalhadores e soldados das colônias foram "infectados" pelo nacionalismo e pelo comunismo. Os "brancos superiores" utilizaram os recursos das colônias para bater nos cérebros uns dos outros. As sementes para os movimentos de libertação posteriores como Vietminh e PKI foram assim semeadas.

Os Aliados impuseram condições de paz muito duras aos Centros. As fronteiras foram traçadas de forma bastante arbitrária, com interesses políticos que superam os das pessoas que por acaso vivem ali.

Além dos fluxos de refugiados, os tratados também produziram sentimentos latentes de ódio e vingança. Na Segunda Guerra Mundial, estes encontrariam sua expressão. Nascia o conceito de "guerra total".

Os sindicatos foram recompensados por seu apoio à guerra com reconhecimento. O mesmo se aplicava aos combatentes em termos de direito de voto: foi introduzido o sufrágio universal único (um homem, um voto) e (mais tarde) o sufrágio feminino.

As mulheres deveriam ocupar os lugares abertos nas fábricas e oficinas. Isto lhes deu uma liberdade que nunca haviam tido antes. Eles se deram conta de que eram bastante capazes de fazer muito trabalho masculino e ganharam autoconfiança.

As mulheres não desistiram de suas posições após a guerra, dando um enorme impulso ao feminismo. Na Bélgica, a guerra também expôs abusos lingüísticos. Oficiais francófonos (atrás da frente) deram ordens aos soldados flamengos na frente.

Isto deu ímpeto à batalha lingüística, porém, vários soldados foram punidos por causa de sua flâmula. Por

116

exemplo, 10 soldados da linha de frente foram exilados para uma empresa disciplinar em Orne, Normandia. Conhecidos como *lenhadores do Orne,* eles tinham que realizar trabalhos forçados em condições de vida muito difíceis.

Foi uma guerra que começou com as táticas militares da Guerra Franco-Alemã de 1870. Com cargas de cavalaria, desdobramento maciço de infantaria e ataques de baioneta igualmente maciça se fúteis. No lado francês, por exemplo, esta tática tinha sido praticada de forma desinteressada. O nome para esta tática (chamada *Elan*) de ataque com grandes grupos de infantaria de forma ofensiva foi: *Ofensiva à Outrance* (*ataque ao extremo*).

Era também uma guerra que terminaria com as táticas da Segunda Guerra Mundial: nesta guerra, tanques e aviões participaram pela primeira vez de um combate. Mas, acima de tudo, era a guerra que iria aniquilar uma geração inteira de europeus.

No total, a batalha matou quase nove milhões de soldados e um milhão de civis. Além disso, quase seis milhões de civis morreram de fome e doenças.

Kaiser Wilhelm II escreveu após a guerra em seu lugar de Doorn no exílio em suas *Kriegserinnerungen:*

> *"Quando penso nesses difíceis quatro anos de guerra com suas pilhas e derrotas, com seus brilhantes triunfos e suas perdas de sangue precioso, um sentimento de gratidão fervorosa e de admiração imperecível pelos feitos inigualáveis do povo alemão em armas brilha dentro de mim"...*

CPSIA information can be obtained
at www.ICGtesting.com
Printed in the USA
BVHW061344231222
654910BV00013B/1489